...y la COMIDA se hizo

7 ______ de dulces y postres

Catalogación en la fuente

Fernández, Beatriz L.
. . . Y la comida se hizo : de dulces y postres. --
3a ed. -- México : Trillas, 1990.
127, p. : il. col. ; 27 cm. -- (. . . Y la comida
se hizo ; 7)
ISBN 968-24-4025-4

1. Cocina - Manuales, vademecums, etc.
2. Recetas. I. Yani, María. II. Zafiro, Margarita.
III. t. IV. Ser.

LC- TX716.A1F4'F4.47 D- 641.508'F565d 1644

Miembro de la Cámara Nacional de la
Industria Editorial. Reg. núm. 158

Primera edición, 1988 (ISBN 968-24-2719-3)
Segunda edición, enero 1990 (ISBN 968-24-3859-4)

Tercera edición, febrero 1990
ISBN 968-24-4025-4

Impreso en México

Printed in Mexico

Esta obra se terminó de imprimir y encuadernar
el día 14 de Febrero de 1990,
en los talleres de Offset Larios, S. A.,
Salvador Alvarado núm. 105,
Col. Escandón Tacubaya,
C.P. 11800, México, D. F.,
se tiraron
18 000 ejemplares, más sobrantes de reposición

Indice

...y la comida se hizo

7. de dulces y postres

9 Presentación
11 Historieta
21 Recomendaciones
22 Recetas
ajonjolí **22** palanquetas
amaranto **23** alegría
almendra **24** corazón
almendra **25** purísimas
almendra **26** queso
anís **27** cristales
anís **28** mariposa
arroz **29** arroz rosa
ate **30** cueritos
avellana **31** copitas
azúcar **32** caramelos de mantequilla
azúcar **33** mentas
cacahuate **34** flan
cacahuate **35** garapiñados
cacahuate **36** mazapán
cacahuate **37** sacristanes
café **38** gelatina
calabaza **39** cajeta
camote **40** camote al ron
camote **41** camotes del convento
ciruela **42** ciruelas en mantequilla
ciruela **43** compota al vino tinto

ciruela pasa **44** ciruelas rellenas
ciruela pasa **45** flan
ciruela pasa **46** mermelada con cascaritas
coco **47** cocada con piña
coco **48** duquesas
coco **50** recuerdos
coco **51** tambores
coco **52** veladoras
chilacayote **53** cabellitos de ángel
chocolate **54** carlota
chocolate **55** frutas forradas
chocolate **56** malvaviscos forrados
chocolate **57** trufas
dátil **58** dátiles rellenos
durazno **59** durazno merengado
guanábana **60** sorbete
guayaba **61** cajeta almendrada
harina **62** bizcocho de guayaba
harina **63** borrachitos
harina **64** budín de migajas
harina **65** campechanas
harina **66** colchones de manzana
harina **67** delicias de almendra
harina **68** empanadas de mermelada
harina **69** galletas de almendra
harina **70** galletas de fibra
harina **71** galletas de vainilla

harina **72** gaznate
harina **74** garibaldis
harina **75** marquesote
harina **76** muéganos
harina **77** orejas
harina **78** panecillos de café
harina **79** panqué de dátil
harina **80** pechugas de ángel
harina **81** polvorones de aguardiente
harina **82** roscas de naranja
harina **83** suspiros de novia
higo **84** higos cristalizados
higo **85** mermelada
huevo **86** jamoncillo
huevo **87** merengue de nuez
huevo **88** merengues de pulque
jamaica **89** gelatina
jícama **90** jícama planchada
leche **91** chiclosos
leche **92** gelatina de cajeta
leche **93** glorias
leche **94** islas flotantes
leche **95** mostachones
leche **96** natilla almendrada
limón **97** limones rellenos
maíz **98** gorditas
maíz **99** nubes de palomitas

maíz **100** tamales
maíz **101** torta de elote
mamey **102** gelatina
mango **103** ante
nuez **104** alegorías
nuez **105** enjambre
nuez **106** huevitos de faltriquera
nuez **107** rollo
pepita **108** jamoncillo verde
pera **109** peras al jerez
perón **110** carlota
perón **111** perones al vino blanco
piña **112** arequipa
piña **113** piña acaramelada
piñón **114** mazapán
piñón **115** tejas
plátano **116** crema
tamarindo **117** cazuelitas
tamarindo **118** sombrillas
tamarindo **119** tamarindo azucarado
tejocote **120** tejocotes acaramelados
tuna **121** nieve
tuna **122** mermelada
yuca **123** leche de yuca
zapote **124** copa de zapote y plátano
125 Recetas de postres que aparecen en los demás volúmenes de la serie **...y la comida se hizo**
1. fácil
2. económica
3. rápida
4. para celebrar
5. equilibrada
6. saludable

...y la comida se hizo

A diferencia de los demás libros de esta serie, este tomo se dedica a un solo tipo de platillo, el que se toma al final de una comida o entre comidas, por placer más que por hambre. El tema amerita un solo volumen porque tenemos una enorme riqueza y variedad de dulces y postres.

Para facilitar su consulta, las recetas se presentan agrupadas alfabéticamente según alguno de sus ingredientes principales, desde almendra hasta zapote, pasando por la harina donde se encuentran dulces como muéganos y gaznates, o panes de huevo, como marquesotes.

No hemos repetido en este volumen los postres que aparecen en los primeros seis tomos de esta colección, pero se mencionan en un índice especial al final del libro.

Como en todos nuestros libros, la fotografía corresponde exactamente a la redacción de la receta y para cada platillo existe una foto que muchas veces dice más que mil palabras. Desde luego, muchos postres no se ven igual que los que hacen los dulceros con años y generaciones de experiencia pero son igualmente sabrosos.

Historieta

El azúcar mezclada con frutas, con leche, con canela, derretida a fuego y retorcida, pintada de intensos colores y amasada en las más bellas y diversas formas, es el ingrediente principal de nuestros postres caseros, de nuestros panes y dulces callejeros que son tantos y con tan hermosos nombres, que al solo oír hablar de merengues, muéganos, turrones, chiclosos, cocadas, se nos hace agua la boca.

El azúcar es consumida por la humanidad desde los tiempos más remotos. Aunque en algunos países se fabrica a partir de la remolacha, en la mayor parte del mundo se consume el azúcar de caña. No se sabe con exactitud cuál fue su origen, posiblemente la India o las islas del Pacífico del Sur, desde donde se extendió hacia el resto de Asia, África y Europa. Se tiene noticia definitiva de ella en unos papiros del año 350 antes de Cristo.

Una de las tradiciones más antiguas es la árabe, que se transmitió a España durante la dominación, y se sabe que Colón en su segundo viaje trajo caña de azúcar de las Islas Canarias a la Isla La Española, hoy Santo Domingo, en 1493. Pocos años más tarde, en 1510, ya se plantaba en Cuba y de ahí pasó a Brasil y Perú.

El azúcar llegó a México casi al mismo tiempo que los primeros conquistadores.

Los antiguos mexicanos gustaban del sabor dulce tanto como nosotros, endulzaban sus bebidas y manjares con mieles de avispa, de tuna, de maguey y de maíz, por lo que el sabor dulcísimo del azúcar de caña fue rápidamente apreciado y mezclado con

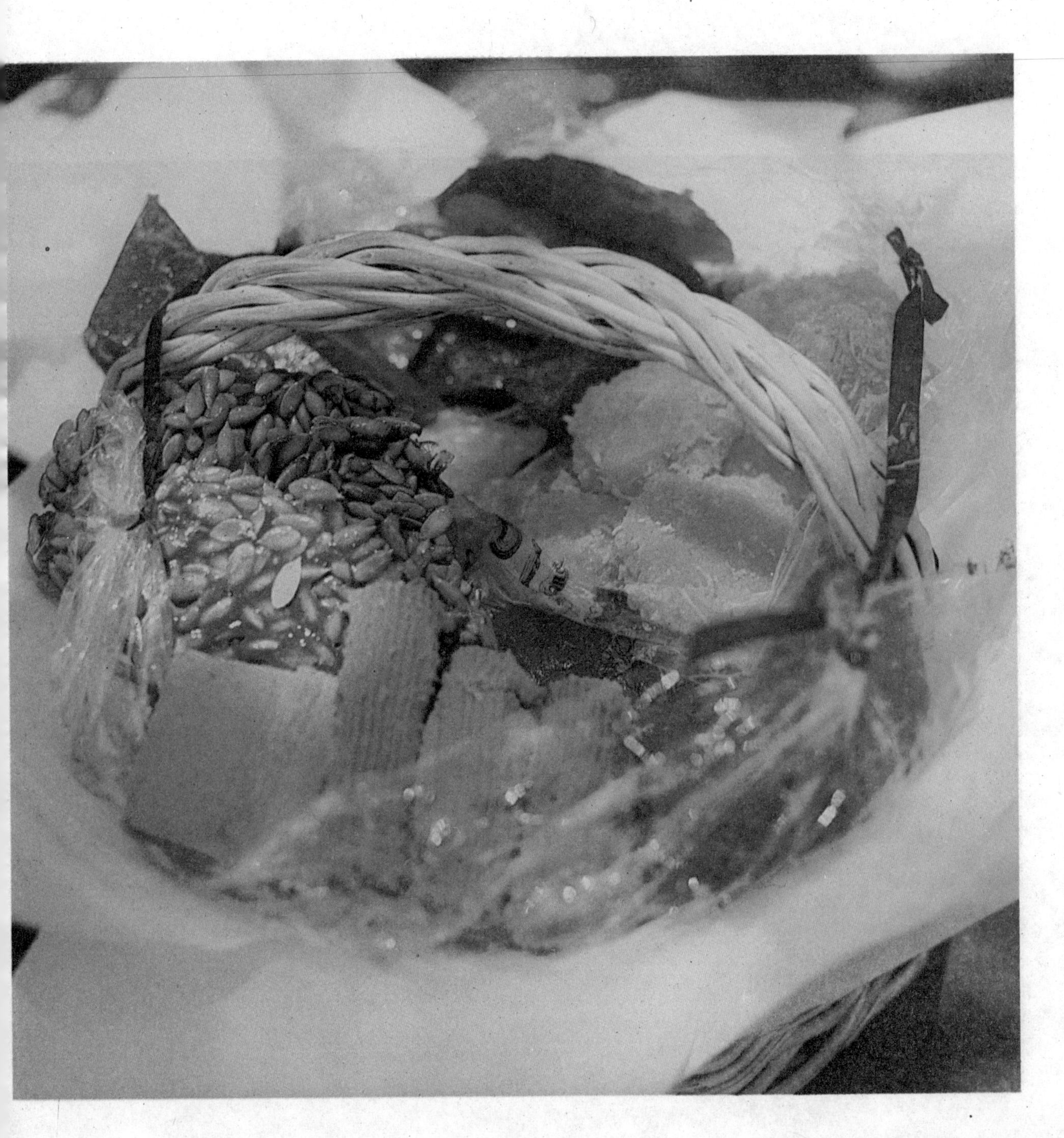

cientos de productos locales, como el cacao, los capulines, los chilacayotes. Así, aceptada con gusto desde su llegada, la caña fue plantándose cada vez más en todas las regiones húmedas y cálidas del país y se sabe que Hernán Cortés la sembró en sus fincas.

Pequeños trapiches al principio se transformaron en ingenios gigantescos y México, con sus plantíos de

Veracruz, Oaxaca, Morelos y Guerrero fue convirtiéndose en uno de los más importantes países productores de azúcar.

Actualmente el azúcar se consume tanto que no hay en México celebración sin dulce apropiado para ella: posadas con piñatas rellenas de caña y colación; cuaresmas con capirotadas; navidades con buñuelos;

Día de Muertos con calabaza en tacha y calaveras.
México es un país lleno de dulceros y de golosos que a la menor excusa preparamos los dulces que hicieron nuestras abuelas y tatarabuelas. Ellas aprendieron de las monjas que, enclaustradas, rezaban largas horas y largas horas también pasaban pelando y moliendo almendras, nueces, piñones,

cociendo membrillos, liando polvorones que envolvían en precioso papel de china picado; así preparaban regios platones con besitos, sonrisas, suspiros, cajetas, alfajores, hojaldres. A ellas, que hicieron con el azúcar obras de arte y a nuestros merengueros y dulceros con sus tablas llenas de trompadas, alegrías y marquesotes, debemos agradecer tanta dulzura.

La caña de azúcar

La caña crece en regiones húmedas, tropicales y semitropicales. Es una planta de tallo largo que alcanza varios metros de alto y varios centímetros de grueso, a la que crecen hojas largas y afiladas. Para cosecharla, durante la zafra, se corta el tallo al nivel del suelo y luego se le quitan las hojas, aunque en muchas regiones de México (Morelos, Guerrero)

primero se queman las hojas y luego se cortan con machete los tallos, que se transportan a un trapiche o ingenio donde se les extrae el jugo. De éste, en sucesivos procesos de refinación, se obtienen los distintos tipos de azúcar: piloncillo, mascabado, morena y blanca. Queda un bagazo que se usa para hacer papel, combustible y muchas otras cosas.

Recomendaciones

Las recetas elegidas para este libro son en su mayoría fáciles de preparar. Para algunos dulces, sin embargo, el punto de cocimiento del azúcar es importante (como sería el caso de los chiclosos o de las glorias), porque si se cuece más tiempo del debido puede endurecerse o, por el contrario, si no se deja en la lumbre lo suficiente puede quedar un dulce menos sólido de lo que se hubiera deseado. Hemos evitado poner grados de temperatura y tiempos exactos, porque no todos los hornos ni las lumbres son iguales y no son comunes los termómetros para medir el calor del azúcar. En la preparación de otros postres como las duquesas o los gaznates es la práctica y la maña lo que hará que salgan mejores.

La cobertura de chocolate es ideal para derretir y más barata que las tablillas. Si le es difícil encontrarla puede sustituirla por tablillas de chocolate semiamargo.

En la mayoría de las recetas se recomienda cocer a fuego bajo o medio porque de esta forma se corre menos riesgo de echar a perder.

Estas recetas parecerán empalagosas a algunos, mientras que a otros les parecerán insípidas. El gusto por lo dulce, igual que lo picoso o lo salado, depende de cada persona y un poco más o menos de azúcar no altera las recetas.

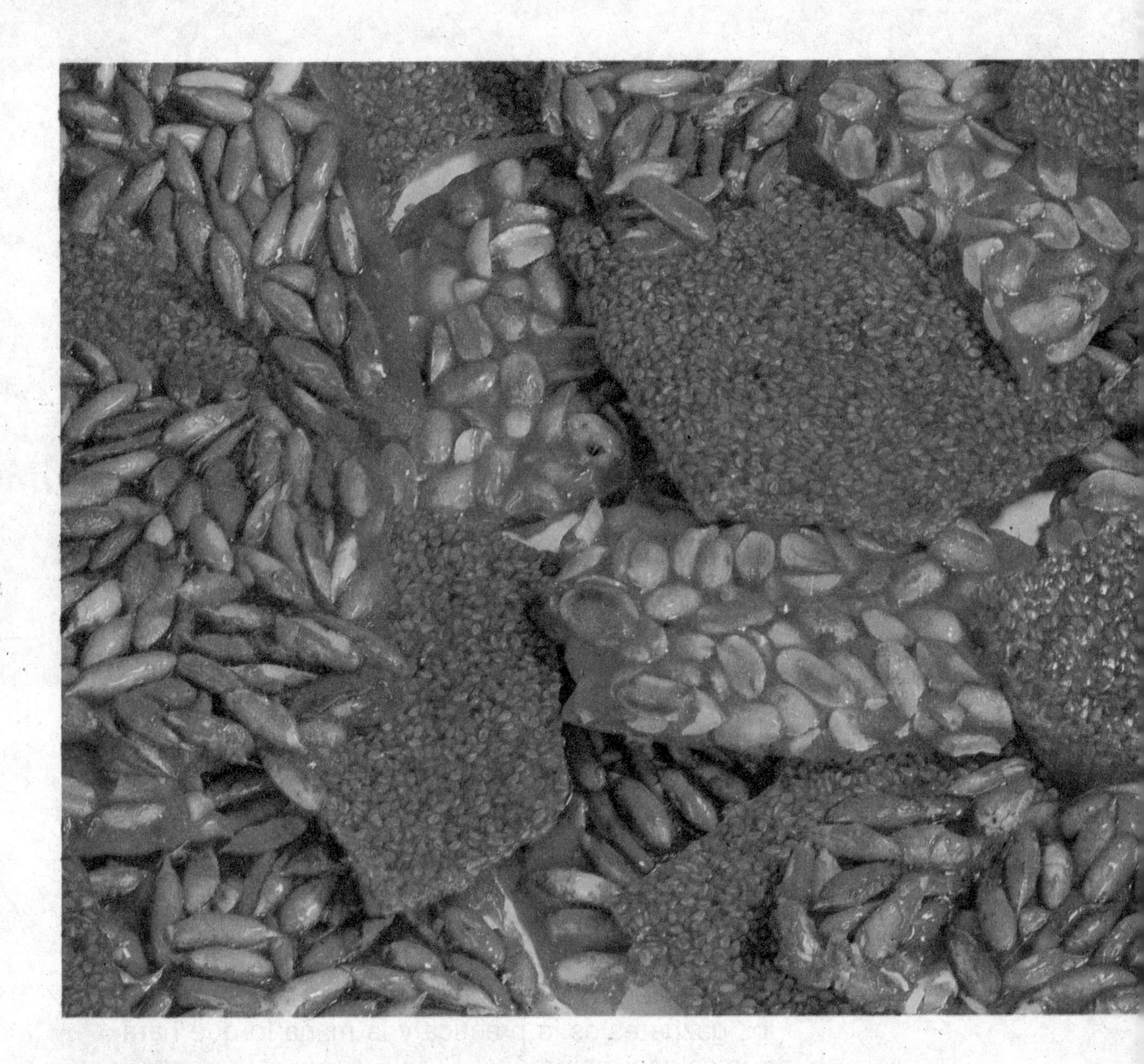

palanquetas

1 **taza de azúcar**
1 **cuadrito de mantequilla**
1 **taza de ajonjolí tostado**

1. Derrita el azúcar a fuego bajo hasta que tome color dorado. Retire del fuego, añada la mantequilla y el ajonjolí; mezcle y vuelque en una superficie plana engrasada. Aplaste con el dorso de una cuchara hasta que quede de dos o tres mm de grueso. Una vez que se endurezca y se forme la palanqueta, rómpala en trozos con el mango de un cuchillo.
Se puede hacer también de cacahuate tostado, pepita de calabaza tostada o nuez.

alegría

1 panocha de piloncillo
4 tazas de semilla de amaranto

1. Parta en trozos el piloncillo, agréguele una taza de agua y hierva hasta que se forme una miel espesa. Retire del fuego.
2. Deje enfriar ligeramente y vierta el amaranto. Revuelva.
3. Vacíe la mezcla sobre un molde forrado con papel encerado. Deje secar unas horas. Desmolde.

corazón

1 taza de almendras
5 tazas de leche
3 cucharadas soperas de grenetina
4 yemas
1 taza de azúcar
1 cucharada cafetera de esencia de vainilla

1. Remoje las almendras en agua caliente durante unos cinco minutos; pélelas y lícuelas con una taza de leche.
2. En un recipiente, bata las yemas, añada el azúcar, la esencia de vainilla y mezcle con el resto de la leche. Caliente a fuego bajo, sin dejar de mover, durante unos diez minutos. Disuelva la grenetina en media taza de agua caliente, agréguela y mezcle bien. Retire del fuego, añada las almendras molidas y revuelva.
3. Vacíe en un molde y refrigere. Para sacar la gelatina sumerja unos segundos el molde en agua caliente.
4. Sírvala bañada con rompope o mermelada.

purísimas

3/4 **taza de almendras**
1 **taza de azúcar**
2 **cucharadas soperas de miel de maíz**
1/2 **cucharada cafetera de esencia de almendras**
1 **yema**

1. Remoje las almendras en agua caliente, pélelas y lícuelas con la yema, la esencia de almendras y un poco de agua. (También puede moler las almendras en el molcajete.)
2. Haga un jarabe ligero poniendo al fuego durante unos minutos el azúcar, la miel y un cuarto de taza de agua, moviendo ligeramente.
3. Vierta la almendra licuada sobre el jarabe. Mezcle, regrese al fuego y cueza mientras mueve hasta que se vea el fondo del cazo. Deje entibiar.
4. Forme bolitas de unos tres cm, revuélquelas en azúcar y colóquelas sobre moldes de papel.

almendra

queso

2 tazas de almendras
2 tazas de azúcar
2 yemas
1 cucharada sopera de canela molida

1. Remoje las almendras en agua caliente unos minutos, pélelas y lícuelas o muélalas con un poco de agua.
2. Mezcle el azúcar con media taza de agua y hierva a fuego bajo, moviendo ligeramente, hasta que se haga una miel espesa. Vierta las almendras licuadas sobre la miel. Mezcle bien.
3. Suba la flama y siga hirviendo sin dejar de mover hasta que se vea el fondo del cazo. Retire del fuego.
4. Bata las yemas y añádalas poco a poco a la miel sin dejar de mover. Deje enfriar.
5. Vierta la pasta en una servilleta húmeda, forme un rollo y revuélquelo en polvo de canela.

cristales

1 taza de azúcar
1/2 taza de miel de maíz
1/2 cucharada de esencia de anís
– colorante vegetal

1. Mezcle el azúcar y la miel en un cuarto de taza de agua. Póngalos al fuego moviendo ligeramente hasta que el azúcar tome punto de bola dura (cuando, al poner una gota en un vaso de agua fría, se forma una bola dura).
2. Retire del fuego, añada la esencia y unas gotas de colorante. Mezcle. Vierta en moldecitos para caramelo engrasados (o deje enfriar hasta que pueda tocar el azúcar y forme canicas con las manos engrasadas ligeramente).

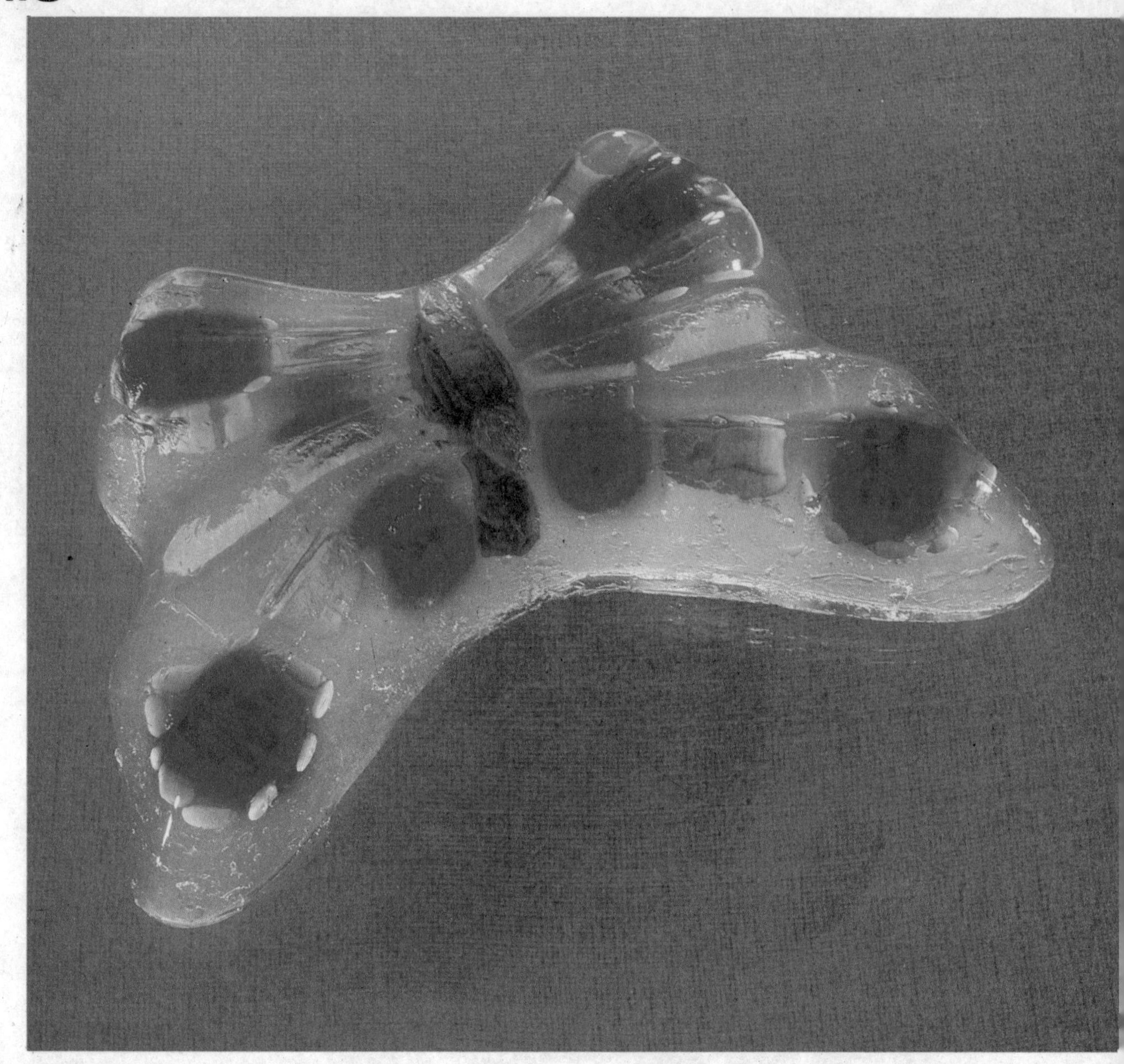

mariposa

4 tazas de agua
3 cucharadas soperas de grenetina
1 cucharada cafetera de esencia de anís
1 taza de azúcar
– trozos de frutas

1. Disuelva la grenetina en media taza de agua caliente.
2. Hierva el agua con el azúcar. Añada el anís y la grenetina.
3. Llene un molde hasta la mitad con la mezcla, deje cuajar. Ponga la fruta con la que quiera adornar (tuna, mango, durazno, piña). Vierta a la temperatura ambiente el resto de la mezcla. Refrigere. Para sacar la gelatina sumerja el molde unos segundos en agua caliente.

arroz rosa

- *1* taza de arroz
- *4* tazas de leche
- *1* taza de azúcar
- *3* yemas
- *4* manzanas
- *1* raja de canela
- *1* cucharada sopera de canela en polvo
- – colorante vegetal rojo

1. Remoje el arroz unos minutos, escúrralo y cuézalo con la leche y la raja de canela a fuego bajo. Añada el azúcar y unas gotas de colorante. Revuelva. Cuando espese, retire del fuego, agregue las yemas, mezcle rápidamente y coloque en un platón.

2. Pele las manzanas, quíteles el corazón y pártalas en rebanadas. Hiérvalas unos 10 minutos. Póngalas encima del arroz y espolvoree con canela.

cueritos

1 trozo mediano de ate (250 g)
1 taza de queso rallado
1 taza de azúcar

1. Amase el ate con las manos húmedas. Forme bolas del tamaño de un limón grande.
2. Cubra con azúcar una servilleta húmeda y sobre ella extienda el ate con las manos hasta que quede una capa un poco más gruesa que una tortilla. Espolvoree con azúcar y queso rallado.
3. Enrolle la capa con la ayuda de la servilleta, espolvoreando con azúcar mientras enrolla. Refrigere durante unas dos horas para que se endurezca ligeramente. Sirva en pequeñas rebanadas.

copitas

- 1 taza de avellanas
- 1 taza de leche condensada
- 1 taza de jugo de piña

1. Remoje las avellanas unos 30 minutos, pélelas y lícuelas con el jugo de piña y la leche condensada.
2. Hierva la mezcla a fuego bajo durante unos 15 minutos, moviendo ligeramente.
3. Enfríe y sirva en copitas. Adorne con trocitos de piña o cereza.

caramelos de mantequilla

- *2* tazas de azúcar
- *1/2* barrita de mantequilla
- *1* cucharada sopera de esencia de vainilla

1. Ponga el azúcar a fuego bajo y mueva; cuando se derrita y tome un color dorado, retire del fuego, añada la mantequilla y la vainilla y mezcle.
2. Para formar los caramelos vierta rápidamente cucharadas de la mezcla en una charola, deje enfriar y despegue con un cuchillo o espátula.
Puede adornarlos colocando encima de cada uno una nuez, media cereza o un cacahuate, antes de que el azúcar se cristalice.

mentas

tazas de azúcar pulverizada
cucharadas soperas de esencia de menta
colorante vegetal verde

1. Mezcle el azúcar con la esencia de menta y unas gotas de colorante hasta formar una pasta espesa. Si es necesario agregue unas gotas de agua.
2. Humedézcase las manos, forme bolitas del tamaño de una canica, póngalas en una superficie plana ligeramente espolvoreada con azúcar y presiónelas con los dientes de un tenedor. Déjelas secar durante una hora.

flan

1/2 taza de cacahuates sin sal, pelados y molidos
2 tazas de leche condensada
6 huevos
1 taza de azúcar

1. Derrita el azúcar en el fuego hasta que tome un color dorado. Forre con ella las paredes y el fondo de un molde.
2. Licue el cacahuate y los huevos con la leche. Vierta sobre el molde. Tape perfectamente con papel aluminio y cueza a baño maría en olla de presión durante unos cuarenta minutos. Desmolde.

garapiñados

2 tazas de cacahuates crudos con cascarilla
1 taza de azúcar
colorante vegetal rojo

1. Mezcle los cacahuates, el azúcar y media taza de agua; añada unas gotas del colorante.
2. Hierva a fuego medio moviendo hasta que la mezcla se reseque y se acaramele.
3. Deje enfriar en una charola.
Nota: Puede hacerse con nueces o almendras.

mazapán

4 tazas de cacahuates pelados y tostados
1 taza de azúcar pulverizada cernida
1/2 taza de chocolate para repostería rallado.

1. Muela finamente el cacahuate. Mézclelo con el azúcar hasta formar con las manos una pasta compacta.
2. Comprima la pasta dentro de moldes para galleta de forma circular.
3. Desmolde con cuidado.
4. Derrita el chocolate en baño maría y vierta sobre los mazapanes. Deje secar unos minutos.

sacristanes

- 2 tazas de cacahuates pelados
- 2 panochas de piloncillo

1. Aparte unos cacahuates y licue o muela el resto.
2. Parta el piloncillo en trozos pequeños. Póngalo al fuego bajo con una taza de agua, moviendo hasta que espese. Añada el cacahuate licuado, hierba unos diez minutos más, retire del fuego y bata firmemente.
3. Cuando la mezcla entibie forme los sacristanes (tortitas) con ayuda de una cuchara y decórelos con los cacahuates que apartó.

gelatina

3 cucharadas soperas de café instantáneo
2 cucharadas soperas de grenetina
3 claras
3 yemas
2 tazas de leche
1 taza de azúcar
1 cucharada cafetera de harina de maíz
1 vasito de licor de café

1. Mezcle la leche con las yemas, la harina de maíz y el azúcar. Cueza a fuego bajo durante unos 15 minutos sin dejar de mover.
2. Disuelva el café y la grenetina en media taza de agua caliente y mezcle con la leche. Deje enfriar un poco.
3. Bata las claras a punto de turrón y añádalas a la mezcla anterior. Vierta en un molde engrasado o lavado con agua fría.
4. Refrigere hasta que cuaje. Para sacar la gelatina sumerja el molde unos segundos en agua caliente, Antes de servir, báñela con el licor de café.

calabaza

cajeta

- 1 calabaza de castilla mediana
- 3 tazas de azúcar mascabado
- 3 tazas de leche

1. Corte la calabaza por la parte superior. Saque la pulpa y hiérvala con la leche y el azúcar, moviendo de vez en cuando hasta que se forme un puré espeso. Retire del fuego y deje entibiar.
2. Vacíe en un platón o use la propia calabaza como recipiente.

camote al ron

- *2* camotes amarillos
- *5* tazas de leche
- *1* taza de azúcar mascabado
- *1* vasito de ron
- *1/2* barrita de mantequilla
- *1/2* taza de nuez molida

1. Cueza y pele el camote. Haga un puré y cuélelo Mezcle con la leche y el azúcar. Hierva durante unos 15 minutos.

2. Retire del fuego, añada ron y mezcle. Sirva con un trocito de mantequilla y espolvoree con nuez.

camotes del convento

3 **camotes blancos**
1/2 **piña molida**
3 **tazas de azúcar**

1. Cueza los camotes, pélelos y haga un puré.
2. Mezcle dos tazas de azúcar con la piña molida y el puré de camote. Cueza a fuego alto moviendo ocasionalmente hasta que la mezcla espese y vea el fondo del cazo (aproximadamente una hora y cuarto).
3. Deje enfriar. Para formar los camotes, coloque una cucharada grande de la pasta sobre un trapo húmedo y ruede suavemente. Deje secar un día.
4. Para barnizar los camotes, ponga al fuego una taza de azúcar con un poco de agua hasta formar un jarabe y báñelos con él. Déjelos secar nuevamente y envuélvalos en papel encerado. (Para decorarlos, mezcle una clara con media taza de azúcar pulverizada y forme florecitas con ayuda de un embudo pequeño.)

ciruelas en mantequilla

- *12* ciruelas
- *1/2* barrita de mantequilla
- *1* taza de azúcar mascabado
- *12* clavos de especia
- *1/2* vasito de jerez dulce

1. Pele las ciruelas y hiérvalas hasta que se ablanden. Sáquelas, escúrralas y ponga un clavo en cada una.

2. Derrita la mantequilla en una sartén, fría las ciruelas unos momentos, añada el azúcar y siga cociendo durante unos diez minutos más. Sirva calientes.

compota al vino tinto

- *1* kg de ciruela roja
- *1* taza de azúcar
- *1* raja de canela
- – el jugo de ½ limón
- *2* clavos de especia
- *1* vaso de vinto tinto

1. Lave y pele las ciruelas, cuézalas durante unos 25 minutos con todos los ingredientes. Cómalas el mismo día.

ciruelas rellenas

- *2* docenas de ciruelas pasas jugosas
- *1* taza de nueces picadas
- *1/2* taza de miel de maíz
- *1* cucharada cafetera de esencia de vainilla
- *1* taza de crema para batir

1. Abra las ciruelas con cuidado de no romperlas. Saque los huesos.

2. Mezcle las nueces con la miel y la vainilla, forme una pastita y rellene con ella las ciruelas.

3. Bata la crema hasta que esponje. Para servir ponga la crema en el centro del platón y las ciruelas alrededor.

ciruela pasa

flan

- 25 ciruelas pasas
- 1 lata de leche evaporada
- /2 taza de azúcar pulverizada
- /2 taza de azúcar
- 4 huevos
- 1 cucharada cafetera de esencia de vainilla

1. Remoje las ciruelas unos minutos y deshuéselas. Aparte unas cuantas.
2. Licue la leche, el azúcar pulverizada, los huevos, la vainilla y el resto de las ciruelas.
3. Derrita al fuego el azúcar granulada hasta que tome color dorado y forre con ellas las paredes y el fondo de un molde. Ponga primero las ciruelas que apartó y vierta encima la leche. Tape el molde perfectamente con papel aluminio.
4. Cueza en olla de presión a baño maría hasta que cuaje durante unos 40 minutos. Deje enfriar y saque del molde.

mermelada con cascaritas

25 ciruelas pasas
1/2 taza de azúcar
— cáscara de 2 naranjas
— cáscara de 1 limón

1. Haga tiritas con las cáscaras de las naranjas y el limón. Remójelas unos 20 minutos. Quite los huesos a las ciruelas.

2. Ponga las ciruelas, las cáscaras y el azúcar en un recipiente con suficiente agua para que las cubra. Hierva a fuego bajo, meneando ligeramente durante 15 o 20 minutos o hasta que las cáscaras se ablanden.

cocada con piña

- 2 tazas de coco rallado
- 1/2 piña madura licuada
- 1 lata de leche condensada
- 3 yemas

1. Separe un poco del coco y hierva el resto con la piña y la leche condensada. Mueva hasta que se vea el fondo del cazo. Retire del fuego.
2. Bata las yemas y viértalas sobre la cocada. Mezcle. Espolvoree con el coco que separó y hornee a fuego alto hasta que dore.

duquesas

Pasta de coco

1 coco fresco
3 cucharadas soperas de harina
2 tazas de azúcar
1 lata vacía de forma circular, abierta de los dos lados
8 yemas
— colorante vegetal amarillo

Merengue

5 claras
1/2 taza de azúcar pulverizada

Pasta

1. Prepare una miel ligera poniendo a fuego bajo las dos tazas de azúcar con media taza de agua.
2. Parta el coco, saque la pulpa y rállela finamente, mézclela con la harina y después con la miel.
3. Ponga la lata sobre un plato, vierta la pasta de coco, déjela escurrir durante media hora y refrigere unas horas.
4. Saque la pasta de la lata y haga rebanadas del grueso del dedo meñique. Colóquelas sobre una charola de hornear.
5. Bata las yemas con unas gotas de colorante para que tomen un color amarillo intenso.

6. Con una cuchara y la ayuda de la punta de los dedos cubra con yema la superficie de las rebanadas de coco y métalas en la parte inferior del horno, hasta que dore la yema de huevo.
7. Saque del horno y despegue con cuidado la duquesa.
8. Con las manos húmedas vuelva a formar las rebanadas de coco y repita el procedimiento hasta obtener el número de duquesas que quiera (si sobra pasta, puede usarla en otro dulce).

Merengue

9. Bata las claras a punto de turrón, añada poco a poco el azúcar pulverizada y rellene las duquesas con este merengue.
Con la práctica quedan cada vez mejor.

recuerdos

- *1* taza de coco rallado
- *1/4* barrita de mantequilla o margarina
- *1* cucharada sopera de miel
- *2* cucharadas cafeteras de azúcar pulverizada
- *1* cucharada cafetera de esencia de vainiliia
- – colorante vegetal rojo

1. Licue el coco rallado hasta que casi se pulverice. Mezcle con los demás ingredientes.

2. Forme unas bolas pequeñas con las manos, colóquelas sobre un plato y presiónelas ligeramente con la yema del dedo.

3. Para decorar puede presentarlas sobre coco rallado.

:ambores

:tazas de coco rallado
:cucharadas soperas de
leche condensada
taza de chocolate para
repostería rallado

1. Licue el coco. Mézclelo con la leche para formar una pasta manejable con los dedos.
2. Forme los tambores y déjelos secar durante una hora.
3. Derrita el chocolate a baño maría.
4. Sumerja los tambores en el chocolate derretido con la ayuda de una cuchara. Deje secar unos minutos sobre papel encerado.

veladoras

3 tazas de coco rallado
1/2 taza de leche
1/2 taza de azúcar
3 cucharadas soperas de esencia de vainilla
3 cucharadas soperas de miel de maíz
– colorante vegetal amarillo

1. Mezcle el coco, el azúcar, la leche y el colorant hierva hasta que espese. Retire del fuego. Añada l miel, mezcle y deje enfriar.
2. Forme las veladoras presionando la pasta de coco dentro de moldes circulares para galleta. Dor en la parte inferior del horno durante unos minutos

Cabellitos de ángel

- 1 chilacayote de unos 3 o 4 kg
- 6 tazas de azúcar
- 2 hojas de higuera

1. Pele el chilacayote, pártalo en trozos y hiérvalo hasta que se ablande un poco. Enjuáguelo con agua fría, quítele las membranas y algunas de las semillas.

2. Para hacer los cabellitos deshebre la pulpa con cuidado.

3. Ponga el azúcar en un recipiente y añada agua únicamente hasta cubrirla. Hiérvala unos diez minutos con las hojas de higuera. Añada los cabellitos y siga hirviendo hasta que la miel se consuma.

carlota

3 cucharadas soperas de cocoa
3 tazas de crema dulce para batir
2 tazas de azúcar
1 cucharada cafetera de extracto de vainilla
24 soletas

1. Bata la crema hasta que esponje. Mézclela con el azúcar, el extracto de vainilla y la cocoa.
2. Engrase un platón hondo y forre con una capa de soletas el fondo y las paredes, con la parte plana de las soletas hacia adentro. Cúbralas con una capa gruesa de crema, ponga otra capa de soletas, otra de crema y así sucesivamente. Refrigere unas dos horas antes de servir y desmolde.

frutas forradas

durazno
mandarina
higos
fresas
guayaba
ramito de uvas
tazas de cobertura de chocolate rallado

1. Parta la fruta en rebanadas o gajos. Séquela con una servilleta de papel.
2. Derrita el chocolate a baño maría.
3. Introduzca las frutas unos segundos en el chocolate derretido, escurra el exceso y coloque en un platón. No refrigere.

malvaviscos forrados

- *2* tazas de chocolate para repostería rallado
- *2* docenas de malvaviscos
- *1/2* taza de nueces

1. Pique la nuez finamente.
2. Derrita el chocolate a baño maría.
3. Introduzca los malvaviscos, uno por uno, durante unos segundos en el chocolate derretido, sosteniéndolos con un tenedor. Al sacar cada uno, coloque la parte superior sobre el polvo de nuez.

trufas

- 2 tazas de chocolate para repostería rallado
- /4 barrita de mantequilla
- 1 yema
- /2 taza de azúcar pulverizada
- /2 vasito de ron
- 3 cucharadas soperas de gragea de chocolate

1. Derrita el chocolate a baño maría moviendo ocasionalmente.
2. Agregue la mantequilla, la yema, el azúcar, el ron y mezcle.
3. Deje enfriar hasta que se endurezca un poco. Forme las trufas con las manos y revuélquelas en la gragea (puede también revolcar en cocoa).

dátiles rellenos

24 dátiles
3 cucharadas soperas de leche condensada
1/2 taza de almendras

1. Remoje las almendras en agua caliente unos diez minutos, pélelas y píquelas finamente.
2. Deshuese los dátiles con cuidado.
3. Mezcle las almendras con la leche condensada, forme una pasta y rellene los dátiles con ella.

durazno merengado

- *1* lata de duraznos en almíbar
- *3* claras
- *1/2* taza de azúcar pulverizada
- – ralladura de un limón

1. Pique los duraznos y aparte media taza.
2. Bata las claras a punto de turrón. Añada la ralladura de limón y el azúcar, poco a poco, sin dejar de batir.
3. Coloque en un platón refractario, primero, los duraznos con su miel y encima el merengue. Forme picos con un tenedor. Decore con los trocitos de duraznos que apartó. Hornee unos minutos para que dore el merengue.

sorbete

- *2* guanábanas
- *1* taza de azúcar
- *1/2* cucharada cafetera de bicarbonato
- *5* tazas de leche
- *3/4* de taza de leche condensada
- *3* tazas de hielo picado

1. Pele las guanábanas y haga un puré. Saque los huesos que pueda.

2. Hierva el puré en una taza de agua durante unos 15 minutos. Añada el bicarbonato y el azúcar; mezcle y hierva unos diez minutos más. Retire del fuego.

3. Añada las leches, bata vigorosamente, agregue el hielo, mezcle y congele un poco.

4. Saque del congelador, pique la nieve y bátala nuevamente.

5. Regrese al congelador unos minutos y sirva antes de que se endurezca.

cajeta almendrada

10 guayabas
4 tazas de leche
1/2 tazas de azúcar
1 taza de almendras
3 cucharadas soperas de pasitas

1. Remoje las almendras en agua caliente, pélelas y muélalas.
2. Cueza las guayabas en un poco de agua, lícuelas y cuélelas.
3. Hierva a fuego bajo la leche con el azúcar y la guayaba; mueva hasta que espese. Añada las almendras y las pasitas molidas. Hierva unos 15 minutos más. Retire del fuego y vacíe sobre un platón.

bizcocho de guayaba

- *8* guayabas
- *1/2* taza de aceite
- *1 1/2* tazas de azúcar
- *2* huevos
- *1 1/2* tazas de harina
- *1* cucharada cafetera de bicarbonato
- *4* cucharadas soperas de crema

1. Parta y cueza las guayabas con el azúcar en dos tazas de agua. Hágalas puré y cuélelas.

2. Bata la harina, los huevos, la crema y el aceite. Añada el puré de guayaba, el bicarbonato y mezcle.

3. Engrase y enharine un molde; vierta la mezcla y hornee a fuego medio durante unos 45 minutos o hasta que, al introducir un palillo, salga seco.

Nota: Si quiere hornear menos tiempo use 2 moldes chicos.

borrachitos

- 1 taza de harina
- 1 cucharada cafetera de polvo de hornear
- 2 cucharadas soperas de manteca
- 1 taza de pan molido
- 1/2 taza de azúcar
- 2 huevos
- 2 cucharadas soperas de mermelada
- 1 vaso de ron
- – jugo de limón y su ralladura
- – jugo de una naranja

1. Bata los huevos.

2. Cierna la harina con el polvo de hornear. Añada la manteca e incorpórela con los dedos. Agregue el pan molido, el azúcar, la ralladura, los jugos de limón y naranja y los huevos batidos. Mezcle bien.

3. Engrase un molde, espolvoréelo con azúcar y vierta la mezcla. Cúbralo perfectamente con papel aluminio y cueza a baño maría en olla de presión durante unos 40 minutos.

4. Desmolde, pique con un tenedor la parte superior y los lados del pan y bañe con la mitad del ron. Disuelva la mermelada con la otra mitad del ron y viértala sobre el borrachito.

budín de migajas

- *4* panes de huevo
- *1* taza de leche
- *1/2* barrita de mantequilla
- *4* cucharadas soperas de pasitas
- *2* huevos
- *1* taza de azúcar
- *1/2* taza de miel de maíz
- *1* acitrón en cuadritos

1. Derrita la mantequilla.
2. Desbarate los panes en la leche, añada los huevos batidos, las pasitas, el acitrón, la mantequilla derretida y el azúcar y mezcle.
3. Vacíe sobre moldes individuales engrasados, tápelos bien con papel aluminio detenido con una liga, cueza a baño maría en una olla de presión durante unos 30 minutos o hasta que, al meter un palillo, salga seco. Desmolde, bañe con miel y adorne con trocitos de acitrón.

campechanas

- ½ kg de pasta de hojaldre
- ½ taza de azúcar

1. En una superficie enharinada extienda la pasta con un rodillo hasta que quede de medio cm de grueso. Espolvoree la masa con azúcar y vuelva a pasar el rodillo para que el azúcar se pegue.
2. Corte las campechanas con una lata circular, espolvoree nuevamente con azúcar, colóquelas en una charola y hornee a fuego suave hasta que se cuezan. Páselas a la parte inferior del horno durante uno o dos minutos para que doren.

colchones de manzana

- *6* rebanadas de pan de huevo
- *2* manzanas
- *6* cucharadas soperas de mermelada de chabacano
- *1/2* taza de nueces picadas
- *1* cucharada cafetera de jugo de limón

1. Pele las manzanas, quíteles el corazón, rebánela y hiérvalas durante unos diez minutos para ablandarlas un poco. Escúrralas. Colóquelas sobre las rebanadas de pan de huevo.

2. Disuelva la mermelada en media taza de agua caliente, añada el jugo de limón, mezcle y vierta sobre las manzanas; espolvoree con nuez picada.

delicias de almendra

- aza de almendras
- aza de azúcar
- cucharadas soperas de harina
- rocito de mantequilla

1. Remoje las almendras en agua caliente, pélelas y lícuelas o muélalas.
2. Mezcle el azúcar con media taza de agua y hierva a fuego bajo hasta que espese, moviendo ligeramente. Añada la almendra licuada y siga hirviendo y moviendo hasta que se vea el fondo del cazo. Retire del fuego, agregue la harina y mezcle.
3. Forme tortitas con la mano (si se seca la pasta añada un poco de agua) y colóquelas sobre una charola engrasada con mantequilla. Hornee a fuego medio unos 15 minutos.

empanadas de mermelada

masa

- *2* tazas de harina
- *1* barrita de mantequilla
- *2* huevos
- *1/2* taza de azúcar
- — el jugo de medio limón

relleno

- *1* taza de mermelada
- *1* taza de queso rallado

1. Cierna la harina. Añada la mantequilla, un huev y el jugo de limón. Amase rociando con agua fría hasta que quede una pasta tersa.
2. Mezcle el queso rallado con la mermelada.
3. Extienda la masa sobre una superficie enharinac hasta que quede de medio cm de grueso. Corte las empanadas con un vaso de boca ancha. Ponga un poco de mermelada con queso y dóblelas sobre sí mismas. Con la punta de un tenedor apriete el borde para sellarlas. Pique la parte superior.
4. Barnice las empanadas con huevo batido, espolvoréelas con azúcar y colóquelas sobre una charola engrasada. Hornéelas a fuego medio hasta que doren.

galletas de almendra

- *1* taza de almendras
- *2* tazas de harina
- *1/2* barritas de mantequilla
- *1* taza de azúcar pulverizada
- *1* clara
- *2* cucharadas soperas de chocolate en polvo

1. Remoje las almendras en agua caliente, pélelas, aparte unas cuantas y licue o muela el resto con un poco de agua.

2. Bata la mantequilla para ablandarla.

3. Cierna la harina, haga un hueco en el centro, ponga ahí la mantequilla y la almendra licuada y mezcle.

4. Agregue el chocolate en polvo, las claras y el azúcar. Siga batiendo.

5. Engrase una charola. Vierta la pasta en un embudo, presione y forme las galletas. Decore con almendras. Hornee a fuego medio unos 15 minutos hasta que estén doradas.

galletas de fibra

1/2 **taza de germen de trigo**
1/2 **taza de avena**
1/2 **taza de salvado**
1/2 **taza de amaranto**
1/2 **taza de harina**
1/2 **taza de aceite**

1. Mezcle todos los ingredientes. Coloque cucharadas de la mezcla sobre una charola enharinada.
2. Hornee durante unos 20 minutos.

galletas de vainilla

- *2* tazas de harina
- *1* taza de manteca
- *1* huevo
- *1* cucharada cafetera de cremor tártaro
- *1* taza de azúcar
- */2* taza de azúcar mascabado
- *2* cucharadas soperas de esencia de vainilla
- *1* pizca de sal

1. Cierna la harina con el cremor tártaro y la sal; ahueque el centro.
2. Bata la manteca, añada el azúcar, el huevo y la vainilla. Vierta en el hueco de la harina y amase.
3. Forme barritas y haga incisiones con un cuchillo; colóquelas en una charola enharinada. Deje suficiente espacio para que las galletas al esponjar no se peguen.
4. Hornee a fuego medio durante unos 15 minutos o hasta que estén doradas.

harina

gaznate

Masa

3 tazas de harina
1 cucharada cafetera de sal
— jugo de media naranja madura
— aceite para freír y para embarrar

Merengue

5 claras
1/2 taza de azúcar pulverizada
3 cucharadas soperas de pulque
— colorante vegetal rojo

Masa

1. Coloque la harina en una superficie plana y ahueque el centro. Vierta ahí el juego de naranja, la sal y empiece a mezclar con los dedos trayendo la harina hacia el centro. Añada, poco a poco, media taza de agua fría.

2. Una vez todo mezclado, amase vigorosamente como si estuviera lavando ropa. El punto de la masa se alcanza cuando tiene un aspecto terso y, al cortarla con un cuchillo, éste se desliza con facilidad y queda limpio. Si esto no sucede siga amasando un poco más añadiendo gotas de agua.

3. Forme una bola con la masa, embárrela por todos lados con bastante aceite y colóquela sobre una superficie aceitada; cúbrala con un trapo húmedo y déjela reposar media hora.

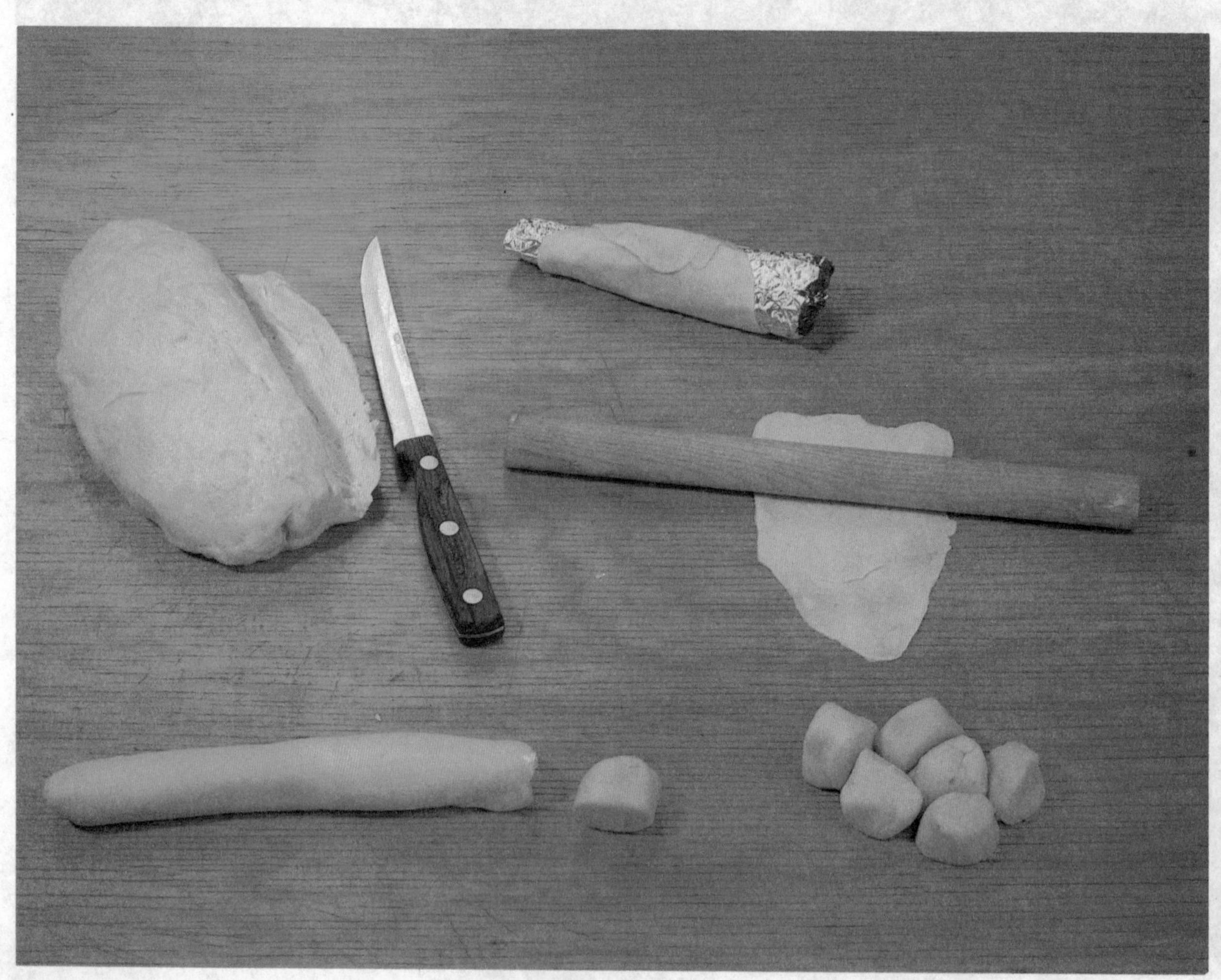

4. Rebane un trozo de masa, forme un rollo largo de dos dedos de grueso y córtelo en porciones pequeñas. Embárrelas nuevamente con aceite para que la masa no se seque.
5. Prepare tres tubos de papel aluminio del grueso del palo de una escoba.
6. Engrase una superficie plana y extienda las porciones de masa con el rodillo, hasta que queden del grueso de una hoja de papel, lo más delgado que pueda. Enrolle la delgada masa, nuevamente bañada en aceite, sobre los tubos de papel aluminio. Cuide que la masa esté bien pegada a la superficie de aluminio.
7. Fríalos, sumergiéndolos en aceite muy caliente. Sáquelos, escúrralos y deslícelos del papel aluminio para volver a usarlo. No se desanime, con la práctica salen bien.

Merengue

8. Bata las claras, vierta poco a poco el pulque, el azúcar y las gotas de colorante y siga batiendo hasta lograr punto de turrón.
9. Rellene los gaznates con el merengue.

garibaldis

- 2 1/2 barritas de mantequilla
- 2 1/2 tazas de harina
- 1 taza de azúcar
- 1 cucharada cafetera de polvo de hornear
- 1/2 taza de mermelada de chabacano
- 7 huevos
- — ralladura de naranja
- — grageas de colores

1. Cierna la harina con el polvo de hornear.
2. Bata la mantequilla con el azúcar hasta que adquiera una consistencia cremosa. Añada los huevos uno a uno, la harina cernida y la ralladura de naranja.
3. Engrase y enharine moldes individuales, llénelos a la mitad y hornee unos 30 minutos. Desmolde.
4. Rebaje la mermelada con un poco de agua caliente; bañe con ella los garibaldis y revuélquelos en las grageas.

marquesote

- ½ taza de harina
- 1 taza de fécula de maíz
- 6 huevos
- 1 taza de azúcar pulverizada
- ½ taza de azúcar
- 1 cucharada cafetera de canela en polvo

1. Bata las claras a punto de turrón, agregue las yemas y mezcle suavemente.
2. Cierna la harina con la fécula y el azúcar pulverizada y agréguela con movimiento envolvente.
3. Engrase y forre un molde con papel encerado. Vierta la mezcla anterior y hornee a fuego bajo hasta que al introducir un palillo salga seco. Desmolde y rebane.
4. Mezcle el azúcar con la canela y espolvoree las rebanadas de marquesote.

muéganos

1 1/2 tazas de harina
1 cucharada cafetera de polvo de hornear
1/2 taza de leche
2 cucharadas soperas de manteca
2 panochas de piloncillo
– aceite para freír
– miel de maíz

Para hacer la pasta

1. Mezcle la harina con el polvo de hornear y la manteca. Añada, poco a poco, la leche y amase hasta formar una pasta.

2. Extienda la pasta con un rodillo hasta que quede de medio cm de grueso y corte cuadritos de un cm.

3. Fría los cuadritos de masa en aceite hasta que inflen, escúrralos y quite el exceso de grasa con papel absorbente.

Para la miel

4. Hierva el piloncillo en una taza de agua hasta formar una miel espesa.

5. Ponga los cuadros de masa inflados en un colador y báñelos con miel sobre un traste para poder volver a usar la miel que escurre. Deje enfriar.

6. Embárrese las manos con miel de maíz y mójeselas. Forme los muéganos pegando los cuadritos de masa unos con otros.

orejas

kg de pasta de hojaldre
tazas de azúcar

1. Divida la masa en dos partes iguales.
2. Cubra con azúcar una superficie plana y extienda sobre ella la mitad de la masa con un rodillo. Forme un rectángulo de medio cm de grueso. Rocíe con azúcar.
3. Doble las orillas dos veces sobre sí mismas y después monte una sobre otra.
4. Para formar las orejas corte rebanadas delgadas de medio cm de grueso, colóquelas sobre una charola ligeramente enharinada, espolvoree con azúcar y hornéelas hasta que doren.
5. Repita con la masa sobrante.

panecillos de café

1/2 vasito de licor de café
1 taza de harina
1/2 cucharada cafetera de polvo de hornear
1 1/2 barritas de mantequilla
1 taza de azúcar
2 huevos

1. Cierna la harina con el polvo de hornear.
2. Bata una barrita de mantequilla con el azúcar hasta que esponje. Añada poco a poco los huevos batidos ligeramente y el licor de café. Mezcle con l. harina cernida.
3. Engrase moldes individualee y fórrelos con moldecitos de papel encerado. Vierta en ellos porciones de la mezcla. Hornee durante unos 20 minutos.

panqué de dátil

- *1* taza de dátiles picados
- *2* tazas de harina
- *1* cucharada cafetera de polvo de hornear
- *1* barrita de mantequilla o margarina
- *1/2* taza de azúcar
- *1* cucharada sopera de ralladura de limón
- *2* huevos
- *1/2* taza de leche
- *1* pizca de sal

1. Precaliente el horno a fuego medio.
2. Cierna la harina con el polvo de hornear; añada la sal, la mantequilla y el azúcar. Mezcle con los dátiles y la ralladura de limón. Bata.
3. Mezcle todo con el huevo batido y la leche hasta lograr una pasta de consistencia uniforme.
4. Vierta en un molde engrasado y hornee durante una hora o hasta que, al introducir un palillo, éste salga seco.
5. Deje enfriar y desmolde.

pechugas de ángel

- *6* rebanadas de pan de huevo
- *2* tazas de azúcar
- *1/2* barrita de mantequilla
- *1* vasito de ron
- *1* raja de canela
- *3* claras
- *3* yemas

1. Hierva el azúcar y la canela en media taza de agua para formar una miel ligera. Retire del fuego.
2. Unte de mantequilla un lado de las rebanadas de pan.
3. Bata las claras a punto de turrón. Bata las yemas hasta que espesen un poco y agréguelas a las claras.
4. Engrase un molde con mantequilla y fórrelo de papel encerado. Vacíe la mitad de la mezcla de huevo, ponga las rebanadas de pan encima y apriételas bien.
5. Vacíe la mitad de la miel sobre el pan y la mezcla de huevo restante.
6. Hornee a fuego bajo durante unos 30 minutos. Desmolde y quite el papel. Bañe con la miel restante y el ron. Adorne con frutas.

polvorones de aguardiente

- *3* tazas de harina
- *1* taza de azúcar
- *1* taza de manteca
- *1* cucharada cafetera de canela molida
- *1* copa de aguardiente (ron o tequila)
- *1/2* cucharada cafetera de bicarbonato

1. Tueste la harina sobre una sartén moviendo ligeramente hasta que dore parejo.
2. Bata la manteca con el azúcar hasta que esponje, añada la canela, el aguardiente y, poco a poco, la harina y el bicarbonato. Amase con las manos. Deje reposar la masa unos 15 minutos y extiéndala sobre una superficie con un rodillo hasta que quede de un cm de grueso.
3. Corte los polvorones con la boca de una taza pequeña, colóquelos en una charola engrasada y hornéelos a fuego medio hasta que al tocarlos casi se deshagan. Espolvoree con azúcar cuando los saque del horno.

roscas de naranja

- *3* tazas de harina
- *1* taza de azúcar
- *1* taza de manteca
- *2* huevos
- *1* cucharada cafetera de polvo de hornear
- – ralladura de una naranja

1. Cierna la harina con el polvo de hornear.
2. Bata la manteca hasta acremarla. Añada el azúcar y los huevos, de uno en uno, y la ralladura. Siga batiendo hasta que quede una masa tersa.
3. Con el rodillo extienda la masa sobre una superficie enharinada hasta que tenga medio dedo de grueso. Forme las roscas con ayuda de un vaso de boca grande y otro de boca chica.
4. Homee a fuego medio sobre una charola enharinada y revuelque en azúcar.

suspiros de novia

- *1* taza de harina
- *1/2* barrita de mantequilla
- *3* yemas
- *1* pizca de sal
- – aceite para freír

Para la miel

- *1* taza de azúcar
- *1* raja de canela
- *1* taza de miel de maíz
- – el jugo de un limón
- – la ralladura de un limón

1. Bata la harina con la mantequilla, las yemas y la sal. Agregue una taza de agua para formar un atole.
2. Caliente el aceite en una sartén y fría pequeñas cucharadas de la mezcla anterior para formar los suspiros. Escúrralos en una servilleta de papel.
3. Hierva el azúcar, la miel y la canela en media taza de agua hasta formar un jarabe ligero. Añada la ralladura y el jugo de limón. Deje enfriar. Vierta el jarabe en un platón hondo y ponga ahí los suspiros.

higos cristalizados

25 **higos verdes**
3 **tazas de azúcar**
1 **hoja de higuera**

1. Lave los higos, córteles el rabo y hágales una incisión en forma de cruz en la parte inferior. Deles un hervor y enjuáguelos.
2. Hierva el azúcar en una y media tazas de agua hasta que se forme una miel espesa. Introduzca los higos en la miel y hiérvalos hasta que se ablanden y la miel se haya casi consumido.

mermelada

- 5 higos maduros
- 1 taza de azúcar
- 1 hoja de higuera
- sal

1. Pele los higos. Colóquelos en un recipiente y macháquelos con el azúcar y una pizca de sal. Déjelos reposar unos diez minutos.
2. Añada la hoja de higuera, ponga la mezcla a fuego bajo y mueva hasta que espese y se forme la mermelada.

jamoncillo

6 yemas
2 tazas de azúcar
1 taza de leche
1 cucharada sopera de esencia de vainilla
1 cucharada sopera de piñones

1. Forme una miel espesa hirviendo el azúcar en una taza de agua a fuego bajo.
2. Bata las yemas vigorosamente, agregue la leche y la esencia de vainilla y mezcle. Añada esto a la miel y hierva moviendo hasta que se vea el fondo del cazo. Retire del fuego.
3. Siga batiendo mientras la mezcla se entibia y quede manejable como plastilina.
4. Coloque la mezcla sobre un trapo húmedo y forme un rollo. Haga dos incisiones con el cuchillo y adorne con piñones.

merengue de nuez

- /2 **taza de nueces picadas**
- *4* **claras**
- *1* **taza de azúcar**
- /2 **taza de azúcar pulverizada**
- *1* **taza de crema para batir**
- /2 **taza de jarabe de chocolate**

1. Bata las claras a punto de turrón. Agregue el azúcar, siga batiendo y añada las nueces picadas.
2. Ponga la mezcla en un embudo de papel o tela y forme pequeños merengues sobre una charola engrasada. Deje suficiente espacio entre ellos para que no se peguen al crecer.
3. Bata la crema hasta que esponje y añada poco a poco el azúcar pulverizada.
4. Ponga en la parte inferior de un merengue una capa de crema y pegue otro merengue sobre ella. Bañe con jarabe de chocolate.

merengues de pulque

3 claras
3 cucharadas soperas de pulque
1 taza de azúcar
1 trocito de mantequilla
– colorante vegetal rojo
– grageas

1. Bata las claras junto con el pulque hasta que estén a punto de nieve. Añada el azúcar y unas gotas de colorante, poco a poco, sin dejar de batir.
2. Engrase ligeramente una charola para hornear.
3. Con un embudo vaya formando los merengues, espolvoree con grageas y hornéelos unos 40 minutos a horno suave.

gelatina jamaica

- taza de flor de jamaica
- mango partido en rebanadas
- taza de azúcar
- cucharadas soperas de grenetina

1. Lave la jamaica, hiérvala en 1 taza de agua y cuélela sobre 4 tazas de agua tibia. Añada el azúcar y mezcle.

2. Disuelva la grenetina en media taza de agua hirviendo y mézclela con el agua de jamaica.

3. Acomode las rebanadas de mango en un molde y vierta la jamaica con cuidado. Refrigere hasta que cuaje. Sumerja el molde unos segundos en agua caliente y saque la gelatina.

Puede usarse cualquier fruta de estación.

jícama planchada

- *1* jícama mediana
- *1* taza de azúcar
- *1/2* taza de leche
- *3* yemas
- *3* cucharadas soperas de ron
- *1* cucharada sopera de jarabe de granadina

1. Pele y ralle la jícama. Póngala al fuego unos minutos para que suelte su jugo. Agregue la leche y el azúcar y mueva hasta que casi se consuma la leche.

2. Retire del fuego, agregue las yemas, el jarabe de granadina y el ron. Mezcle y ponga al fuego unos minutos más.

3. Coloque en un platón refractario. Deje enfriar. Espolvoree con azúcar. Caliente al rojo vivo una pala para quemar y presiónela ligeramente sobre la superficie azucarada.

chiclosos

- *2* tazas de leche
- *1* taza de azúcar
- *3* cucharadas soperas de miel de maíz
- */2* cucharada cafetera de sal
- *1* cucharada sopera de café soluble
- */2* taza de nueces picadas
- *1* pizca de bicarbonato

1. Mezcle la leche, el azúcar, la miel, la sal, el café y el bicarbonato. Hierva a fuego alto, sin dejar de mover hasta que espese y se vea el fondo del cazo. Deje entibiar.

2. Para manejar la pasta póngase mantequilla en las manos y extiéndala sobre una superficie engrasada hasta que tenga medio cm de grueso y diez cm de ancho. Espolvoree con las nueces picadas. Enrolle y corte en trozos de tres centímetros.

gelatina de cajeta

1 frasco mediano de cajeta
4 tazas de leche
1 raja de canela
1 cáscara de naranja
3 cucharadas soperas de grenetina
1 taza de nueces picadas

1. Hierva a fuego medio la leche con la raja de canela y la cáscara de naranja durante unos diez minutos. Añada tres cuartas partes de la cajeta y mezcle bien.
2. Disuelva la grenetina en media taza de agua caliente, agréguela a la leche y mezcle. Retire del fuego y cuele sobre un molde engrasado. Refrigere y deje cuajar. Sumerja el molde unos segundos en agua caliente y vuelque la gelatina sobre un platón.
3. Adelgace el resto de la cajeta en media taza de leche tibia, mezcle con la nuez picada y bañe la gelatina al momento de servir.

glorias

4 tazas de leche
2 1/2 tazas de azúcar
3 cucharadas soperas de vainilla
3 cucharadas soperas de miel de maíz
1 taza de nuez picada
1/2 cucharada cafetera de bicarbonato

1. Ponga al fuego todos los ingredientes con excepción del bicarbonato. Añada éste al primer hervor.
2. Baje la flama y continúe hirviendo sin dejar de mover hasta que espese y se vea el fondo del cazo.
3. Retire del fuego. Deje enfriar lo suficiente para tocar la mezcla.
4. Con las manos enharinadas tome pequeñas porciones de la mezcla y forme las glorias. Envuélvalas en papel rojo.

islas flotantes

4 tazas de leche
1 cucharada sopera de fécula de maíz
1 raja de canela
1 taza de azúcar
4 claras
4 yemas
1 cáscara de naranja
1 pizca de canela
1 limón
– colorante vegetal amarillo

1. Hierva la leche con la cáscara de naranja, la raja de canela y unas gotas de colorante durante unos diez minutos.
2. Disuelva la fécula en agua, añádala a la leche y hierva unos minutos más hasta que obtenga una crema espesa. Retire del fuego; agregue las yemas batidas y mezcle. Ponga en un platón.
3. Bata las claras a punto de turrón y añada unas gotas de jugo de limón. Coloque cucharadas sobre la crema y espolvoree con canela.

mostachones

4 tazas de leche
2 1/2 tazas de azúcar
2 cucharadas soperas de miel de maíz
2 cucharadas soperas de esencia de vainilla
1/4 de barrita de mantequilla
1/2 cucharada cafetera de bicarbonato

1. Ponga a fuego alto todos los ingredientes, menos el bicarbonato; cuando suelte el primer hervor, añada éste, baje la flama y continúe hirviendo sin dejar de mover hasta que se vea el fondo del cazo. Retire del fuego y deje entibiar lo suficiente para poder formar los mostachones con la mano.
2. Si prefiere hacer macarrones coloque la pasta en un embudo de papel y presione.

natilla almendrada

- *5* tazas de leche evaporada
- *4* yemas
- *2* cucharadas soperas de fécula de maíz
- *3/4* de taza de azúcar
- *8* soletas
- *1/2* taza de almendras
- *1* vasito de jerez dulce
- *1* cucharada cafetera de esencia de vainilla

1. Remoje las almendras en agua caliente, pélelas y píquelas.

2. Hierva la leche con el azúcar, la esencia de vainilla, la fécula de maíz disuelta en un poco de agua y la almendra. Mueva hasta que espese ligeramente y retire del fuego.

3. Bata las yemas y añádalas a la leche, mezcle rápidamente y vacíe en un platón. Refrigere.

4. Remoje las soletas en el jerez y coloque sobre las natillas.

imones rellenos

12 limones
2 **tazas de coco rallado**
1/2 **tazas de azúcar**
– **colorante vegetal verde**

1. Raspe con cuidado la cáscara de los limones hasta que queden casi blancos. Hiérvalos unos diez minutos, corte una rebanada delgada en la parte superior del limón y haga dos cortes hasta la mitad. Sáqueles la pulpa y métalos en agua con unas gotas de colorante vegetal verde. Siga hirviendo unos diez minutos más.
2. Mezcle el coco y el azúcar con media taza de agua y póngalo a fuego medio hasta que el coco se ablande y quede mieloso. Rellene los limones con la mezcla.

gorditas

2 tazas de harina de maíz cacahuazintle
2 cucharadas soperas de manteca de cerdo
1 taza de azúcar pulverizada
4 yemas
1 cucharada cafetera de tequesquite
1 pizca de bicarbonato

1. Cierna la harina con el azúcar. Haga un hueco en el centro e incorpore la manteca.
2. Mezcle el tequesquite en media taza de agua y viértalo poco a poco, junto con las yemas, sobre la harina mientras amasa. Agregue el bicarbonato.
3. Forme las gorditas y cuézalas de ambos lados en el comal.
4. Envuélvalas en papel de china de colores o colóquelas en un chiquihuite.

nubes de palomitas

- *1* taza de maíz palomero
- *1* taza de azúcar
- *1/2* taza de miel de maíz
- *1* cucharada cafetera de sal
- *1* cuadrito de mantequilla

1. Coloque el maíz y la mantequilla en una sartén profunda con tapa y póngalo al fuego hasta que revienten los granos.

2. Forme una miel espesa, hirviendo a fuego bajo el azúcar, la miel de maíz y la sal. Retire del fuego.

3. Vierta la miel sobre las palomitas y mezcle para recubrirlas.

4. Deje enfriar y con las manos mojadas forme las nubes.

Nota: Las puede pintar de colores añadiendo colorante vegetal a la miel.

tamales

- *20* hojas de maíz
- *2* kg de harina para tamal
- *3* tazas de manteca
- *5* cáscaras de tomate
- *2* cucharadas soperas de semillas de anís
- *2* cucharadas soperas de polvo de hornear
- *2* tazas de caldo de pollo
- *2 1/2* tazas de azúcar
- *1* acitrón
- *1* taza de pasas
- – colorante vegetal rojo

1. Remoje, lave y escurra las hojas de maíz.
2. Hierva el anís con las cáscaras de tomate en dos tazas de agua. Cuele.
3. Ponga en una cazuela la harina, el polvo de hornear y la manteca. Mezcle.
4. Amase añadiendo poco a poco el agua de anís y el caldo de pollo, hasta lograr que una bolita de masa flote en agua sin deshacerse.
5. Agregue azúcar, unas gotas de colorante y revuelva.
6. Coloque una porción de masa en cada hoja de maíz. Agregue trocitos de acitrón y pasas. Envuelva.
7. Acomode los tamales parados en una vaporera y cueza durante unos 40 minutos, o hasta que la masa se desprenda de las hojas.

torta de elote

- *4* tazas de granos de elote
- *1/2* barrita de mantequilla
- *6* yemas
- *6* claras
- *1/2* taza de harina
- *1* taza de azúcar

1. Licue los granos de elote.
2. Bata la mantequilla, mezcle con el azúcar y, mientras bate, agregue de una en una las yemas, el elote licuado y la harina.
3. Bata las claras a punto de turrón y con movimiento envolvente incorpórelas a la mezcla anterior.
4. Engrase y forre un molde con papel encerado. Vierta la pasta y hornee a fuego medio durante una hora o hasta que, al introducir un palillo, éste salga seco.

gelatina

- *2* mameyes grandes y rojos
- *6* yemas
- *1* taza de azúcar
- *3* cucharadas soperas de grenetina
- *2* tazas de crema dulce para batir
- *4* cucharadas soperas de ron
- – el jugo de medio limón

1. Pele, licue y cuele los mameyes.
2. Bata las yemas hasta que espesen, añada el azúcar y mezcle con el mamey licuado, el jugo de limón y el ron.
3. Bata la crema hasta que esponje e incorpórela a la mezcla anterior.
4. Disuelva la grenetina en media taza de agua caliente, agréguela a la mezcla y revuelva bien.
5. Engrase un molde, vierta en él la mezcla y refrigere hasta que cuaje.
6. Para sacar la gelatina sumerja el molde unos segundos en agua caliente.
Si quiere bañarla con salsa, machaque un mamey con media taza de azúcar, media taza de leche y mezcle dos cucharadas soperas de almendra picada. Ponga unos minutos al fuego.

ante

3 mangos petacones
1 lata de leche condensada
1/2 vasito de jerez
1/2 taza de pasas
– trozos de pan dulce duro

1. Remoje las pasas en el jerez.
2. Licue la pulpa de los mangos con la leche condensada.
3. Coloque una capa de trozos de pan en un platón, rocíela con el jerez, ponga unas pasas y una capa de mango licuado, después otra de pan rociado con jerez, pasas y mango, y así hasta terminar. Decore con pasas. Refrigere.

alegorías

2 tazas de azúcar
1/2 taza de leche
1 taza de nueces picadas

1. Hierva la leche con el azúcar. Cuando comience a espesar añada la nuez. Mezcle rápidamente y vierta cucharadas sobre una superficie plana. Deje secar.

enjambre

- *1* **taza de cobertura de chocolate rallado (o chocolate semiamargo)**
- *1 1/2* **tazas de nueces picadas**

1. Derrita el chocolate a baño maría.
2. Vierta la nuez en el chocolate derretido, mezclándola con una pala de madera.
3. Retire del fuego y coloque cucharadas grandes del chocolate sobre una superficie engrasada tratando de formar copos. Deje secar.

nuez

huevitos de faltriquera

1 taza de nueces molidas
1 camote amarillo
1 taza de azúcar
1 cucharada de canela molida

1. Cueza el camote hasta que quede blando. Pélelo y hágalo puré.
2. Ponga a fuego medio el azúcar con media taza de agua. Mueva ligeramente hasta formar una miel espesa. Añada la nuez molida y el camote. Mueva continuamente hasta ver el fondo del cazo. Retire del fuego y bata un poco para que se enfríe.
3. Forme pequeñas bolitas con la pasta, revuélquelas en azúcar y canela y envuélvalas en papel de china. Corte flecos y rícelos con el filo de las tijeras.

rollo

- *1* taza de nueces picadas
- *10* nueces en mitades
- *1/2* taza de pasitas
- *4* tazas de leche
- *2 1/2* tazas de azúcar
- *1/2* cucharada cafetera de bicarbonato
- *1/4* barrita de mantequilla
- *1* cucharada cafetera de esencia de vainilla
- *1* cucharada cafetera de miel de maíz

1. Ponga a fuego medio la leche, el azúcar y la mantequilla. Cuando suelte el primer hervor agregue el bicarbonato. Siga hirviendo sin dejar de mover hasta que espese y se vea el fondo del cazo.
2. Retire del fuego, agregue las pasitas, las nueces picadas y la vainilla. Bata hasta que entibie.
3. Vacíe sobre una superficie enharinada y forme un rollo.
4. Tome las mitades de nuez y péguelas al rollo con miel de maíz. Envuelva en papel celofán.

jamoncillo verde

4 tazas de leche
4 tazas de pepita de calabaza
1 taza de azúcar

1. Remoje la pepita durante la noche. Escurra y seque frotando para desprender la cascarita verde. Licue o muela con media taza de leche.
2. Hierva la leche con el azúcar; cuando espese, retire del fuego, añada la pepita molida y vuelva a cocer moviendo hasta que vea el fondo del cazo. Retire del fuego.
3. Bata la pasta vigorosamente hasta que se entibie. Forme una bola con las manos. Deje secar unas horas.

peras al jerez

12 peras pequeñas y maduras
8 cucharadas soperas de mermelada de chabacano
6 cucharadas soperas de jerez
3 cucharadas soperas de azúcar mascabado
1 pizca de clavo molido
1 pizca de canela molida
– el jugo de una naranja

1. Mezcle la mermelada con el clavo, la canela, el azúcar, el jerez y el jugo de naranja. Añada una taza de agua caliente para formar una miel ligera.
2. Pele las peras y hiérvalas en la miel durante unos 20 minutos o hasta que se ablanden.
3. Sirva en platitos individuales bañando las peras con la miel en que las hirvió.

perón
carlota

12 perones
1 barrita de mantequilla
2 paquetes de galletas marías molidas
1 taza de crema para batir
2 cucharadas soperas de grageas de chocolate
1 taza de azúcar
– el jugo de un limón
– colorante vegetal verde

1. Derrita la mantequilla en una sartén y fría las galletas molidas, moviendo hasta que doren. Retire del fuego y mezcle con media taza de azúcar.
2. Pele los perones, sáqueles el corazón y córtelos en trocitos. Póngalos en un recipiente con el jugo de limón y el resto del azúcar. Cubra con agua y cueza hasta que los perones estén suaves. Añada una o dos gotas de colorante y hágalos puré. Deje enfriar.
3. Bata la crema.
4. En platos individuales de cristal coloque sucesivamente una capa de galletas molidas y una de puré de perón hasta terminar con una de galletas. Adorne con crema batida y grageas de chocolate.

perones al vino blanco

- *6* perones
- *6* ciruelas pasas
- *1/2* botella de vino blanco
- *3* cucharadas soperas de azúcar
- *1/2* barrita de mantequilla
- – ralladura de 1/2 limón

1. Precaliente el horno a fuego medio.
2. Remoje las ciruelas pasas y quíteles los huesos.
3. Lave y quite el corazón de los perones. Pele la parte superior de la cáscara y coloque en un plato refractario engrasado.
4. Rellene el hueco del corazón de los perones con un trozo de mantequilla, un chorro de vino y tape con las ciruelas pasas deshuesadas. Vierta el resto del vino sobre los perones y espolvoree con el azúcar y la ralladura de limón.
5. Hornee durante una hora o hasta que los perones estén tiernos. Rocíelos ocasionalmente con el vino blanco para mantenerlos húmedos.

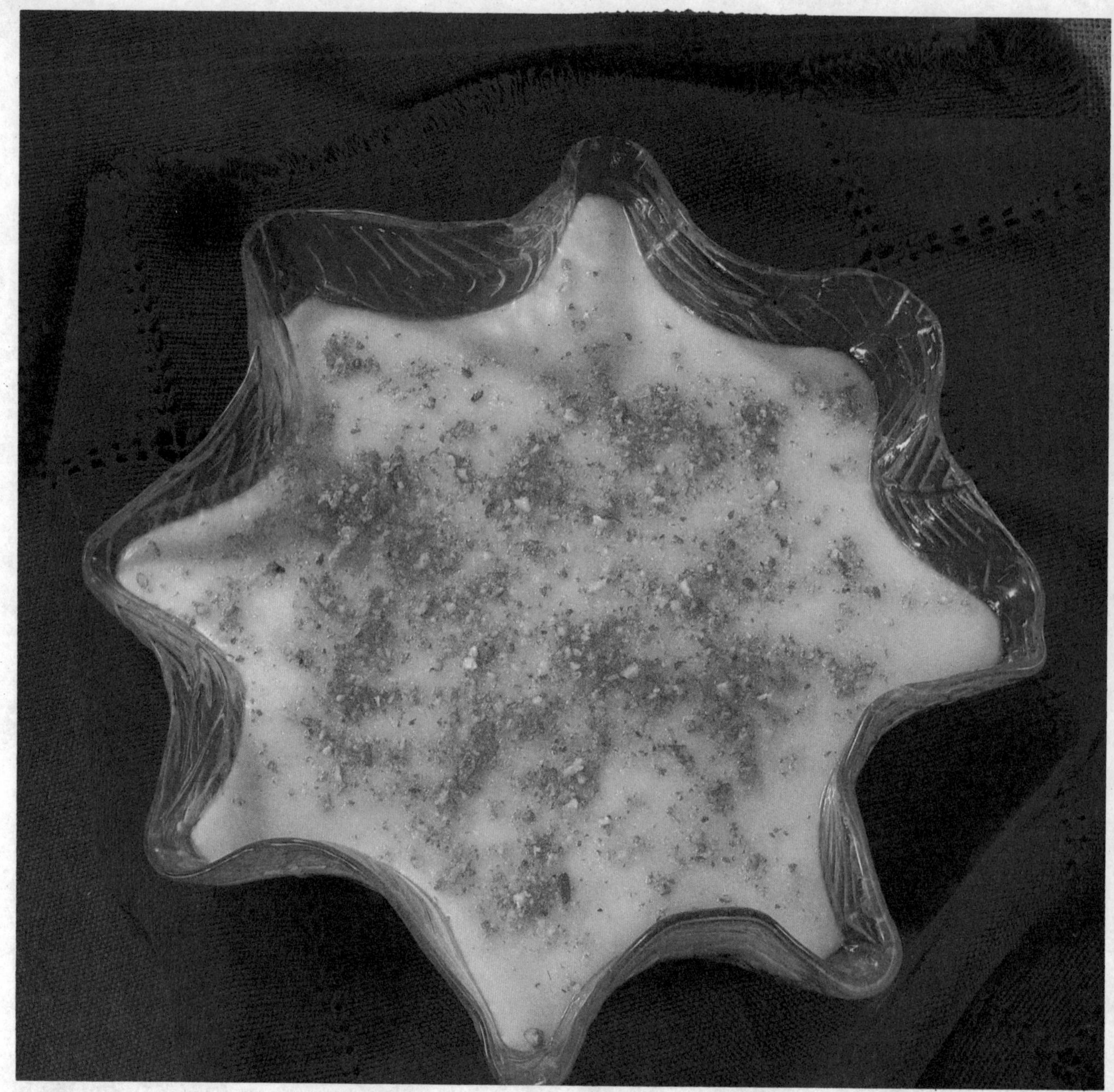

arequipa

1 piña madura picada
1 litro de leche
3 cucharadas soperas de fécula de maíz
1/2 taza de nuez picada
1 taza de azúcar
1 pizca de bicarbonato

1. Hierva la piña en una taza de agua durante unos 15 minutos y hágala puré.
2. Disuelva la fécula en un poco de agua.
3. Ponga la leche a fuego bajo, agregue el azúcar, la fécula disuelta y el bicarbonato. Hierva mezclando hasta que espese ligeramente. Retire del fuego, añada el puré de piña y mezcle.
4. Vacíe en un platón y adorne con nuez.

ɔiña acaramelada

piña madura
mango petacón
taza de crema para batir
cucharada sopera de azúcar pulverizada
taza de azucar mascabado

1. Pele la piña y el mango; pártalos en cuadritos.
2. Bata la crema; cuando esponje, añada, poco a poco, el azúcar pulverizada sin dejar de batir.
3. Coloque los cuadritos de fruta en un platón refractario y vacíe encima la crema batida. Espolvoree con azúcar mascabado y meta en la parte inferior del horno unos minutos hasta que el azúcar se derrita.

mazapán

1 taza de piñones
1/2 taza de azúcar pulverizada

1. Cierna el azúcar.
2. Muela los piñones; mézclelos con el azúcar y amase hasta formar una pasta compacta.
3. Introduzca la pasta a presión en moldes de galleta. Quite el exceso con un cuchillo.
4. Desmolde con cuidado.

tejas

1 taza de piñones
4 cucharadas soperas de leche condensada
½ taza de azúcar
1 cucharada sopera de canela molida

1. Licue o muela el piñón con la leche condensada.
2. Vierta en un recipiente y, con las manos húmedas, forme las tejas. Revuélquelas en el azúcar con canela y decore con un piñón.

crema

6 plátanos tabasco maduros
2 cucharadas cafeteras de jugo de limón
1/2 taza de azúcar
4 nueces
3/4 de taza de nueces
1 taza de crema para batir

1. Aparte unas nueces y muela el resto.
2. Haga un puré con cinco plátanos; mézclelo con la mitad del jugo de limón, el azúcar y las nueces molidas.
3. Bata la crema hasta que esponje y mézclela con el puré de plátano.
4. Vacíe en platón de cristal. Decore con rebanadas del plátano restante, rociándolo con el resto del limón para que no se oscurezca. Adorne con las nueces enteras.

cazuelitas

vainas de tamarindo grandes
tazas de azúcar
cucharada cafetera de chile piquín
cucharada cafetera de sal

1. Pele los tamarindos y remójelos en una taza de agua durante unos 20 minutos; quíteles todos los huesos que pueda.
2. Hierva los tamarindos con el agua en que los remojó y dos tazas de azúcar hasta que espese; añada el chile y la sal y mezcle.

sombrillas

15 **vainas de tamarindo**
3 **tazas de azúcar**

1. Pele los tamarindos y quite los huesos. Hiérvalo con dos tazas de azúcar y media taza de agua has formar una pasta espesa.
2. Retire del fuego y vacíe sobre una lámina. Deje enfriar hasta que pueda tocar la pasta con las manos.
3. Forme las sombrillas y revuélquelas en el resto del azúcar.

·amarindo azucarado

vainas de tamarindo
taza de azúcar

1. Pele los tamarindos.
2. Ponga al fuego media taza de azúcar con un cuarto de taza de agua hasta formar una miel espesa.
3. Vuelque la miel sobre los tamarindos y revuélquelos en el resto del azúcar. Deje secar.

tejocotes acaramelados

20 tejocotes
2 tazas de azúcar
1 cucharada sopera de miel de maíz
10 palitos de madera
— colorante vegetal

1. Lave los tejocotes y ensarte dos en cada palito.
2. Ponga el azúcar a fuego bajo moviéndola hasta que tome un color dorado. Añada la miel y unas gotas de colorante. Retire del fuego y sumerja rápidamente los tejocotes durante unos segundos. Clave los palitos en un melón o jícama para que se sequen.

ıieve

- *0* **tunas coloradas**
- *2* **tazas de hielo picado**
- *2* **vasito de tequila**
- **azúcar**

1. Licue las tunas con el hielo picado y el tequila. (Si las tunas no están dulces añada un poco de azúcar). Póngalas en el congelador durante una hora o hasta que la mezcla empiece a cuajar.
2. Saque la mezcla semicongelada. Licue una vez más.
3. Vierta en copas individuales y vuelva al congelador hasta que empiece a endurecerse.

mermelada

36 tunas coloradas
1 panocha de piloncillo rallado

1. Pele las tunas y páselas por un colador. Hiérvala a fuego medio durante unos 30 minutos. Añada el piloncillo rallado y siga hirviendo hasta que espese. Vierta en un jarro.

eche de yuca

azas de pulpa de
/uca rallada
aza de azúcar
aza de leche
cucharadas soperas
de esencia de vainilla

1. Mezcle todos los ingredientes y hiérvalos a fuego medio hasta que la yuca esté suave.

copa de zapote y plátano

4 zapotes prietos
1 plátano
1/2 taza de leche
1/2 taza de azúcar
1/2 vasito de ron

1. Pele los zapotes y cuélelos.
2. Licue el zapote con el plátano, la leche, el azúca
y el ron.
Sirva muy frío.

ecetas de postres que aparecen en los emás volúmenes de la serie...

...y la comida se hizo 1.fácil

116 Gelatina de guayaba
117 Manzanas al horno/Plátano al horno
118 Papaya en dulce/Dulce de capulín
119 Postre de camote y piña
120 Arroz integral con leche
121 Postre de limón
122 Chongos zamoranos
123 Cajeta quemada
124 Cocada horneada/Dulce de jícama
125 Fresas al rompope
126 Postre de chicozapote
127 Postre de café
128 Galletas de piloncillo
129 Polvorón de cacahuate
130 Pastel fácil/Betún rápido
131 Rompope
132 Café
133 Chocolate mexicana/Chocolate vienés
Chocolate española/Chocolate con helado
134 Atole blanco/Atole de frutas

...y la comida se hizo 2.económica

116 Pastel de fresa
117 Pan de limón
118 Pan de plátano
119 Peras cubiertas
120 Dulce de mango/Gelatina batida
121 Natilla/Puré de manzana
122 Gelatina de cuadros
123 Capirotada
124 Chancacudas
125 Budín de pan
126 Dulce de pinole
127 Alfajor de coco
128 Cascaritas de naranja
129 Bigotes de arroz
130 Palanqueta de nuez
131 Merengues
132 Compota de ciruelas/Tejocotes en miel
133 Ponche de ciruelas/Ponche de granada
134 Horchata de arroz/Agua de alfalfa/ Agua de jamaica

...y la comida se hizo 3.rápida

116 Compota de peras/Compota de membrillo
117 Vainilla con fresas
118 Cajeta de mango
119 Postre de mamey
120 Gelatina de rompope
121 Gelatina de tuna
122 Merengue de piña
123 Copas de chocolate
124 Sopa borracha
125 Dulce de elote
126 Pastel blanco
127 Betún de chocolate/Betún de miel
128 Pastel de chocolate
129 Galletas caseras
130 Agua de tamarindo
131 Néctar de naranja/Néctar de durazno
132 Licuado de ciruela/Refresco de manzana
133 Tepache/Sangrita
134 Pulque curado

...y la comida se hizo 4.para celebrar

116 Buñuelos
117 Calabaza en tacha
118 Rosca de reyes
119 Jericalla
120 Flan de fiesta
121 Piña dorada
122 Duraznos con fresa/Postre de frutas secas
123 Turrón de almendra
124 Jamoncillo de piñón
125 Almendrados
126 Dulce de nuez
127 Torrejas de almendra
128 Huevos reales
129 Pan de canela
130 Pan de muerto
131 Crepas con cajeta
132 Gelatina con fruta
133 Bebida tropical
134 Ponche de Navidad

...y la comida se hizo 5.equilibrada

116 Mantequilla de cacahuate
117 Molletes de cacahuate
118 Piedritas de avena
119 Gelatina de naranja
120 Pastel de miel
121 Paletas heladas
122 Plátanos con pasas
123 Galletas de margarina
124 Naranjas con canela
125 Perones borrachos
126 Pan francés
127 Plátanos con queso
128 Toronjas al horno
129 Postre de guayaba
130 Infusiones

...y la comida se hizo 6.saludable

116 Puré de zapote/Dados de melón
117 Lenguas de gato
118 Churros caseros
119 Bolitas de cacahuate
120 Paletas de plátano
121 Brocheta de fruta
122 Piña en cazuela
123 Donas de papa
124 Pastel de anís
125 Bizcocho con pasas
126 Postre de manzana
127 Pan de maíz
128 Pastel de zanahoria
129 Guayabas en almíbar
130 Aguas frescas